Pai Nosso

Francisco Cândido Xavier

Pai Nosso
pelo Espírito Meimei

Copyright © 1952 *by*
FEDERAÇÃO ESPÍRITA BRASILEIRA – FEB

28ª edição – 21ª impressão – 3 mil exemplares – 1/2025

ISBN 978-85-7328-554-3

Todos os direitos reservados. Nenhuma parte desta publicação pode ser reproduzida, armazenada ou transmitida, total ou parcialmente, por quaisquer métodos ou processos, sem autorização do detentor do *copyright*.

FEDERAÇÃO ESPÍRITA BRASILEIRA – FEB
SGAN 603 – Conjunto F – Avenida L2 Norte
70830-106 – Brasília (DF) – Brasil
www.febeditora.com.br
editorial@febnet.org.br
+55 61 2101 6161

Pedidos de livros à FEB
Comercial
Tel.: (61) 2101 6161 – comercial@febnet.org.br

Adquirindo esta obra, você está colaborando com as ações de assistência e promoção social da FEB e com o Movimento Espírita na divulgação do Evangelho de Jesus à luz do Espiritismo.

Dados Internacionais de Catalogação na Publicação (CIP)
(Federação Espírita Brasileira – Biblioteca de Obras Raras)

M513p   Meimei (Espírito)

          Pai Nosso / pelo Espírito Meimei; [psicografado por] Francisco Cândido Xavier. – 28. ed. – 21. imp. – Brasília: FEB, 2025.

          104 p.; il. color.; 23 cm.

          ISBN 978-85-7328-554-3

          1. Pai Nosso - Literatura infantojuvenil. 2. Literatura infantojuvenil espírita. 3. Obras psicografadas. I. Xavier, Francisco Cândido, 1910-2002. II. Federação Espírita Brasileira. III. Título.

                                              CDD 869.3
                                              CDU 869.3
                                              CDE 81.00.00

Sumário

7   No livro de Meimei

9   Pai Nosso, que estás nos Céus

21   Santificado seja o teu nome

33   Venha a nós o teu Reino

45   Seja feita a tua vontade, assim na Terra como no Céu

57   O pão nosso de cada dia dá-nos hoje

69   Perdoa as nossas dívidas, assim como perdoamos aos nossos devedores

81   Não nos deixes cair em tentação

93   Livra-nos do mal, porque teu é o reino, o poder e a glória para sempre. Assim seja

No livro de Meimei

Meimei não é somente valorosa missionária do bem e da luz, em nosso círculo de ação, mas também devotada orientadora de crianças e que se desvela, no mundo espiritual, pela formação da mente infantil à claridade do Evangelho Redentor.

Colocando a sensibilidade a serviço da inteligência, em seu formoso ideal de servir, tomou a prece dominical e, com ela, compôs o delicado poema de comentários e contos, lendas e observações que vamos ler, recordando as lições inesquecíveis do nosso Divino Mestre.

Para todas as situações difíceis e para todos os problemas da luta humana, encontrou na oração do Senhor um ensino e uma solução, um apontamento e uma bênção, oferecendo-os às crianças, nestas páginas que constituem fragmentos luminosos do seu coração, em forma de letras.

Que Deus lhe multiplique as energias, na plantação do bem, e que os raios de amor da sua abençoada maternidade espiritual se irradiem, com crescentes fulgurações, por toda a parte, em favor dos pequeninos, são os nossos votos.

EMMANUEL
Pedro Leopoldo (MG), 12 de junho de 1952.

Pai Nosso,
que estás nos Céus

I

Quando Jesus começou a prece dominical, satisfazendo ao pedido dos companheiros que desejavam aprender a orar, iniciou a rogativa, dizendo assim:

— Pai Nosso, que estás nos Céus...

O Mestre queria dizer-nos que Deus, acima de tudo, é nosso Pai.

Criador dos homens, das estrelas e das flores.

Senhor dos céus e da Terra.

Para Ele, todos somos filhos abençoados.

Com essa afirmativa, Jesus igualmente nos explicou que somos no mundo uma só família e, por isso, todos somos irmãos, com o dever de ajudar-nos uns aos outros.

Ele próprio, a fim de instruir-nos, viveu a fraternidade pura, auxiliando os homens felizes e infelizes, os necessitados e doentes, mostrando-nos o verdadeiro caminho da perfeição e da paz.

Na condição de aprendizes do nosso Divino Mestre, devemos seguir-lhe o exemplo.

Se sentirmos Deus como nosso Pai, reconheceremos que os nossos irmãos se encontram em toda parte e estaremos dispostos a ajudá-los, a fim de sermos ajudados, mais cedo ou mais tarde. A vida só será realmente bela e gloriosa na Terra quando pudermos aceitar por nossa grande família a Humanidade inteira.

Existência de Deus

Conta-se que um velho árabe analfabeto orava com tanto fervor e com tanto carinho, cada noite, que, certa vez, o rico chefe de grande caravana chamou-o à sua presença e lhe perguntou:

— Por que oras com tanta fé? Como sabes que Deus existe, quando nem ao menos sabes ler?

O crente fiel respondeu:

— Grande senhor, conheço a existência de nosso Pai Celeste pelos sinais dele.

— Como assim? — indagou o chefe, admirado.

O servo humilde explicou-se:

— Quando o senhor recebe uma carta de pessoa ausente, como reconhece quem a escreveu?

— Pela letra.

— Quando o senhor recebe uma joia, como é que se informa quanto ao autor dela?

— Pela marca do ourives.

O empregado sorriu e acrescentou:

— Quando ouve passos de animais, ao redor da tenda, como sabe, depois, se foi um carneiro, um cavalo ou um boi?

— Pelos rastos — respondeu o chefe, surpreendido.

Então, o velho crente convidou-o para fora da barraca e, mostrando-lhe o céu, onde a Lua brilhava, cercada por multidões de estrelas, exclamou, respeitoso:

— Senhor, aqueles sinais, lá em cima, não podem ser dos homens!

Nesse momento, o orgulhoso caravaneiro, de olhos lacrimosos, ajoelhou-se na areia e começou a orar também.

Presença Divina

Um homem, ignorante ainda das Leis de Deus, caminhava ao longo de enorme pomar, conduzindo um pequeno de seis anos.

Eram Antoninho e seu tio, em passeio na vizinhança da casa em que residiam.

Contemplavam, com água na boca, as laranjas maduras, e respiravam, a bom respirar, o ar leve e puro da manhã.

A certa altura da estrada, o velho depôs uma sacola sobre a grama verde e macia e começou a enchê-la com os frutos que descansavam em grandes caixas abertas, ao mesmo tempo que lançava olhares medrosos, em todas as direções.

Preocupado com o que via, Antoninho dirigiu-se ao companheiro e indagou:

— Que fazes, titio?

Colocando o indicador da mão direita nos lábios entreabertos, o velho respondeu:

— Psiu!... psiu!...

Em seguida, acrescentou em voz baixa:

— Aproveitemos agora, enquanto ninguém nos vê, e apanhemos algumas laranjas, às escondidas.

O menino, contudo, muito admirado, apontou com um dos pequenos dedos para o céu e exclamou:

— Mas o senhor não sabe que Deus está nos vendo?

Muito espantado, o velho empalideceu e voltou a recolocar os frutos na caixa, de onde os havia retirado, murmurando:

— Obrigado, meu Deus, por haveres despertado a minha consciência pelos lábios de uma criança.

E, desde esse momento, o tio de Antoninho passou a ser realmente outro homem.

Nosso Pai

Quando acordamos para a razão, descobrimos os traços vivos da Bondade de Deus por toda parte.

Seu imenso carinho para conosco está no Sol que nos aquece, dando sustento e alegria a todos os seres e a todas as coisas; nas nuvens que fazem a chuva para o contentamento da Natureza; nas águas dos rios e das fontes, que deslizam para o benefício das cidades, dos campos e dos rebanhos; no pão que nos alimenta; na doçura do vento que refresca; na bondade das árvores que nos estendem os galhos dadivosos, em forma de braços ricos de bênçãos; na flor que espalha perfume na atmosfera; na ternura e na segurança de nosso lar; na assistência dos nossos pais, dos nossos irmãos e dos nossos amigos, que nos ajudam a vencer as dificuldades do mundo e da vida, e na Providência silenciosa, que nos garante a conservação da saúde e da paz espiritual.

Muitos homens de ciência pretendem definir Deus para nós, mas, quando reparamos na proteção do Todo-Poderoso dispensada aos nossos caminhos e aos nossos trabalhos na Terra, em todos os instantes da vida, somos obrigados a reconhecer que o mais belo nome que podemos dar ao supremo Senhor é justamente aquele que Jesus nos ensinou em sua divina oração: "Nosso Pai".

Pensamentos

Deus é nosso Pai.

Somos irmãos uns dos outros.

Jesus é o Divino Mestre que Deus nos enviou.

A oração é o meio imediato de nossa comunhão com o Pai Celestial.

Nossos melhores pensamentos procedem da inspiração do Alto.

A presença de Deus pode ser facilmente observada na bondade permanente e na inteligência silenciosa da Natureza que nos cerca.

Devemos amar-nos uns aos outros.

A voz divina pode ser reconhecida nos bons conselhos.

Sempre que ajudarmos, seremos ajudados.

Em nossa terna mãezinha,
Cheia de santa afeição,
Sentimos que Deus nos fala
No fundo do coração.

Santificado
seja o teu nome.

II

O apostolado de Jesus foi uma constante santificação do nome de Deus. Por isso, o Mestre não se limitou a dizer "Santificado seja o teu nome", na oração dominical.

Procurou, ele mesmo, louvar o Pai Celeste, distribuindo o contentamento e a paz com todos.

Se ele quisesse, poderia ter permanecido isolado, em algum lugar de sua predileção, para viver em pensamentos sublimes, glorificando o Todo-Poderoso com as suas meditações e com as suas preces, mas o Benfeitor Divino sabia que a mais elevada maneira de santificar a eterna Bondade é auxiliar os outros, para que os outros também compreendam que nosso Pai do Céu vive interessado em nossa elevação e em nossa felicidade.

Assim entendendo, Jesus amparou os velhos e as crianças, os necessitados e os doentes, os fracos e os sofredores, amando e ajudando sempre.

Santificando as suas relações com Deus, espalhou a esperança e a caridade na Terra, enriquecendo os homens de fraternidade e alegria.

Tudo o que temos, tudo o que vemos, tudo o que recebemos e sentimos pertence a Deus, nosso Pai, que tudo engrandece e aperfeiçoa, em nosso benefício. Por essa razão, devemos lembrar que estaremos santificando o nome de Deus sempre que estivermos realizando o melhor que possamos fazer.

Glorificando o Santo Nome

O professor contou, em aula, que, no princípio da vida na Terra, quando os minerais, as plantas e os animais souberam que era necessário santificar o nome de Deus, houve da parte de quase todos um grande movimento de atenção.

Certas pedras começaram a produzir diamantes e outras revelaram ouro e gemas preciosas.

As árvores mais nobres começaram a dar frutos.

O algodoeiro inventou alvos fios para a vestimenta do homem.

A roseira cobriu-se de flores.

A grama, como não conseguia crescer, alastrou-se pelo chão, enfeitando a Terra.

A vaca passou a fornecer leite.

A galinha, para a alegria de todos, começou a oferecer ovos.

O carneiro iniciou a criação de lã.

A abelha passou a fazer mel.

E até o bicho-da-seda, que parece tão feio, para santificar o nome de Deus fabricou fios lindos, com os quais possuímos um dos mais valiosos tecidos que o mundo conhece.

Nesse ponto da lição, como o instrutor fizera uma pausa, Pedrinho perguntou:

— Professor, e que fazem os homens para isso?

O orientador da escola pensou um pouco e respondeu:

— Nem todos os homens aprendem rapidamente as lições da vida, mas aqueles que procuram a verdade sabem que a nossa inteligência deve glorificar a eterna Sabedoria, cultivando o bem e fugindo ao mal. As pessoas que se consagram às tarefas da fraternidade, compreendendo os semelhantes e auxiliando a todos, são as almas acordadas para a luz e que louvam realmente o nome de nosso Pai Celeste.

E, concluindo, afirmou:

— O Senhor deseja a felicidade de todos e, por isso, todos aqueles que colaboram pelo bem-estar dos outros são os que santificam na Terra a sua Divina Bondade.

Cânticos de Louvor

Quando a vida começava no mundo, os pássaros sofriam bastante.

Pousavam nas árvores e sabiam voar, mas como haviam de criar os filhotinhos? Isso era muito difícil.

Obrigados a deixar os ovos no chão, viam-se, quase sempre, perseguidos e humilhados.

A chuva resfriava-os e os grandes animais, pisando neles, quebravam-nos sem compaixão.

E as cobras? Essas rastejavam no solo, procurando-os para devorá-los, na presença dos próprios pais, aterrados e trêmulos.

Conta-se que, por isso, as aves se reuniram e rogaram ao Pai Celestial que lhes desse o socorro necessário.

Deus ouviu-as e enviou-lhes um anjo que passou a orientá-las na construção do ninho.

Os pássaros não dispunham de mãos; entretanto, o mensageiro inspirou-os a usar os biquinhos e, mostrando-lhes os braços amigos das árvores, ensinou-os a transportar pequeninas migalhas da floresta, ajudando-os a tecer os ninhos no alto.

Os filhotinhos começaram a nascer sem aborrecimentos, e, quando as tempestades apareceram, houve segurança geral.

Reconhecendo que o Pai Celeste havia respondido às suas orações, as aves combinaram entre si cantar todos os dias, em louvor do santo Nome de Deus.

Por essa razão, há passarinhos que se fazem ouvir pela manhã, outros durante o dia e outros, ainda, no transcurso da noite.

Quando encontrarmos uma ave cantando, lembremo-nos, pois, de que do seu coraçãozinho, coberto de penas, está saindo o eterno agradecimento que Deus está ouvindo nos Céus.

Louvado seja Deus

O velho André era um escravo resignado e sofredor.

Certo dia, ele soube que Jesus nos ensinara a santificar o nome de Deus e prometeu a si mesmo jamais praticar o mal.

Se o feitor da fazenda o perseguia, André perdoava e dizia de todo o coração: "Louvado seja Deus".

Se algum companheiro tentava-o a fugir das obrigações de cada dia, considerando as injustiças que os cercavam, ele dizia contar com a Bondade Divina, indicava o céu e repetia: "Louvado seja Deus".

Quando veio a libertação dos cativos, o dono da fazenda chamou-o e disse-lhe que a pobreza e a doença lhe batiam à porta e pediu-lhe que não o abandonasse. Todos os companheiros se ausentaram, embriagados de alegria, mas André teve compaixão do senhor, agora humilhado, e permaneceu no serviço, imaginando que Deus estaria satisfeito com o seu procedimento.

O proprietário da terra, pouco a pouco, perdeu o que possuía, arruinado pela enfermidade, mas o generoso servidor cuidou dele, até a morte, afirmando sempre: "Louvado seja Deus".

André estava cansado e envelhecido, quando o antigo patrão faleceu. Quis trabalhar, mas o corpo encarquilhado curvava-se para o chão, com muitas dores.

Esmolou, então, com humildade e paciência e, cada vez que recebia algum pão para saciar a fome ou algum trapo para cobrir o corpo, exclamava alegremente: "Louvado seja Deus".

Certa noite, muito sozinho, com sede e febre, notou que alguém penetrava em sua choça de palha. Quem seria?

Em poucos instantes, um anjo erguia-se à frente dele.

Acanhado e aflito, quis falar alguma coisa, mas não pôde. O anjo, porém, sorrindo, abraçou-o e exclamou:

— André, o nome de nosso Pai Celestial foi exaltado por seu coração e vim buscar você para que a sua voz possa louvá-lo agora no Céu.

No dia seguinte, o corpo do velho escravo apareceu morto na choupana, mas, sobre o teto rústico, as aves pousavam, cantando, e muita gente afirmou que os passarinhos pareciam repetir: "Louvado seja Deus!".

Lembranças

O mundo em que vivemos é propriedade de Deus.

Devemos agradecer as bênçãos de nosso
Pai Celestial todos os dias.

O coração agradecido ao Senhor espalha
a bondade e a alegria em seu nome.

Jesus rendia graças a Deus, auxiliando o próximo.

A Natureza diariamente glorifica a Divina
Bondade, na luz do Sol, na suavidade do vento,
no canto das aves e no perfume das flores.

Quem ajuda às plantas e aos animais revela respeito
e carinho à Criação de nosso Pai Celestial.

Devo ser bom para com todos, porque Deus tem sido
infinitamente bom para comigo, em todas as ocasiões.

Quem trabalha com alegria mostra
reconhecimento ao Céu.

Cooperando de boa vontade com os
outros, estaremos servindo a Deus.

No canto dos passarinhos,
No campo, no mar, na flor,
A vida está repetindo:
— Louvado seja o Senhor!...

Venha a nós
o teu Reino

III

"Venha a nós o teu Reino..." — assim rogou Jesus ao Pai Celestial, sabendo que só o plano de Deus pode conceder-nos a verdadeira felicidade. Mas o Mestre não se limitou a pedir; ele trabalhou e se esforçou para que o Reino do Céu encontrasse as bases necessárias na Terra.

Espalhou, com as próprias mãos, as bênçãos da paz e da alegria, a fim de que os homens se fizessem melhores.

Uma locomotiva não corre sem trilhos adequados.

Um automóvel não avança sem a estrada que lhe é própria.

Um prato bem-feito precisa ser preparado com todos os temperos necessários.

Assim também, o auxílio celeste reclama o nosso esforço. É sempre indispensável purificar o nosso sentimento para recebê-lo e difundi-lo.

Sem a bondade em nós, não poderemos sentir a bondade de Deus ou entender a bondade de nossos semelhantes.

Quando é noite e reclamamos: "Venha a nós a luz", é necessário que ofereçamos a lâmpada ou a candeia, para que a luz resplandeça entre nós.

Se rogamos a Graça Divina, preparemos o sentimento para entendê-la e manifestá-la, a fim de que a felicidade e a harmonia vivam conosco.

Jesus trabalhou pela vinda da Glória do Céu ao mundo, auxiliando a todos e ajudando-nos até à cruz do sacrifício, dando-nos a entender que o Reino de Deus é Amor e só pelo Amor brilhará entre os homens para sempre.

A Lição da Bondade

Quando Jesus entrou vitoriosamente em Jerusalém, montado num burrico, eis que o povo, alvoroçado, vinha vê-lo e saudá-lo na praça pública.

Muitos supunham que o Mestre seria um dominador igual aos outros e bradavam:

— Glória ao Rei de Israel!...

— Abaixo os romanos!...

— Hosanas ao vencedor!...

— Viva o Filho de Davi!... Viva o Rei dos Judeus!...

E atapetavam a rua de flores.

Rosas e lírios, palmas coloridas e folhas aromáticas cobriam o chão por onde o Salvador deveria passar.

O Mestre, contudo, sobre o animalzinho cansado, parecia triste e pensativo. Talvez refletisse que a alegria ruidosa do povo não era o tipo de felicidade que ele desejava. Queria ver o povo contente, mas sem ódio e sem revolta, inspirado pelo bem que ajuda a conservação das bênçãos divinas.

O glorificado montador ia, assim, em silêncio, quando linda jovem se destacou da multidão, abeirou-se dele e lhe entregou uma braçada de rosas, exclamando:

— Senhor, ofereço-te estas flores para o Reino de Deus.

O Cristo fixou nela os olhos cheios de luz e indagou:

— Queres realmente servir ao Reino do Céu?

— Oh! sim... — disse a moça, feliz.

— Então — pediu-lhe o Mestre —, ajuda-me a proteger o burrico que me serve, trazendo-lhe um pouco de capim e água fresca.

A jovem atendeu prontamente e começou a compreender que, na edificação do Reino Divino, Jesus espera de nós, acima de tudo, a bondade sincera e fiel do coração.

Algo Mais

Um crente sincero na Bondade do Céu, desejando aprender como colaborar na construção do Reino de Deus, pediu, certo dia, ao Senhor a graça de compreender os propósitos divinos e saiu para o campo.

De início, encontrou-se com o Vento que cantava, e o Vento lhe disse:

— Deus mandou que eu ajudasse as sementeiras e varresse os caminhos, mas eu gosto também de cantar, embalando os doentes e as criancinhas.

Em seguida, o devoto surpreendeu uma Flor que inundava o ar de perfume, e a Flor lhe contou:

— Minha missão é preparar o fruto; entretanto, produzo também o aroma que perfuma até mesmo os lugares mais impuros.

Logo após, o homem estacou ao pé de grande Árvore, que protegia um poço d'água, cheio de rãs, e a Árvore lhe falou:

— Confiou-me o Senhor a tarefa de auxiliar o homem; contudo, creio que devo amparar igualmente as fontes, os pássaros e os animais.

O visitante fixou os feios batráquios e fez um gesto de repulsa, mas a Árvore continuou:

— Estas rãs são boas amigas. Hoje posso ajudá-las, mas depois serei ajudada por elas, na defesa de minhas próprias raízes, contra os vermes da destruição e da morte.

O devoto compreendeu o ensinamento e seguiu adiante, atingindo uma grande cerâmica.

Acariciou o Barro que estava sobre a mesa, e o Barro lhe disse:

— Meu trabalho é o de garantir o solo firme, mas obedeço ao oleiro e procuro ajudar na residência do homem, dando forma a tijolos, telhas e vasos.

Então, o devoto regressou ao lar e compreendeu que para servir na edificação do Reino de Deus é preciso ajudar aos outros, sempre mais, e realizar, cada dia, algo mais do que seja justo fazer.

Fé e Perseverança

Três rapazes suspiravam por encontrar o Senhor, a fim de fazer-lhe rogativas.

Depois de muitas orações, eis que, certa vez, no campo em que trabalhavam, apareceu-lhes o carro do Senhor, guiado pelos anjos.

Radiante de luz, o Divino Amigo desceu da carruagem e pôs-se a ouvi-los.

Os três ajoelharam-se em lágrimas de júbilo e o primeiro implorou a Jesus o favor da riqueza. O Mestre, bondoso, determinou que um dos anjos lhe entregasse enorme tesouro em moedas. O segundo suplicou a beleza perfeita, e o Celeste Benfeitor mandou que um dos servidores lhe desse um milagroso unguento a fim de que a formosura lhe brilhasse no rosto. O terceiro exclamou com fé:

— Senhor, eu não sei escolher... Dá-me o que for justo, segundo a tua vontade.

O Mestre sorriu e recomendou a um dos seus anjos que lhe entregasse uma grande bolsa.

Em seguida, abençoou-os e partiu...

O moço que recebera a bolsa abriu-a, ansioso, mas, oh! desencanto!... Ela continha simplesmente uma enorme pedra.

Os companheiros riram-se dele, supondo-o ludibriado, mas o jovem afirmou a sua fé no Senhor, levou consigo a pedra e começou a desbastá-la, procurando, procurando...

Depois de algum tempo, chegou ao coração do bloco endurecido e encontrou aí um soberbo diamante. Com ele adquiriu grande fortuna e com a fortuna construiu uma casa onde os doentes pudessem encontrar refúgio e alívio, em nome do Senhor.

Vivia feliz, cuidando de seu trabalho, quando, um dia, dois enfermos bateram à porta. Não teve dificuldade em reconhecê-los. Eram os dois antigos colegas de oração, que se haviam enganado com o ouro e com a beleza, adquirindo apenas doença e cansaço, miséria e desilusão.

Abraçaram-se, chorando de alegria e, nesse instante, o Divino Mestre apareceu entre eles e falou:

— Bem-aventurados todos aqueles que sabem aproveitar as pedras da vida, porque a fé e a perseverança no bem são os dois grandes alicerces do Reino de Deus.

Uma Carta Materna

Meu filho, se procuras a bênção da felicidade, não te esqueças de que o Reino do Céu começa em nosso próprio coração e de que o primeiro lugar onde devemos trabalhar por ele é na própria casa onde vivemos.

A alegria verdadeira nem sempre é daqueles que dominam, mas nunca se aparta das almas generosas que aprendem a espalhar o bem.

Se queres que a tranquilidade te acompanhe, busca ser útil.

Por que foges de teu pai, quando, cansado e abatido, mostra uma fisionomia preocupada? Por que te afastas da mãezinha, quando observas o orvalho das lágrimas em seus olhos?

Aproxima-te deles e faze-lhes sentir que tens um coração compreensivo e amoroso.

Um fio d'água transforma o deserto em oásis.

Um gesto de carinho opera milagres.

Quanta gente espera construir o Reino de Deus, acendendo fogueiras de entusiasmo na praça pública e esquecendo no frio da indiferença aqueles que o Céu lhes confiou!...

Guarda a paz contigo, a fim de que a possas distribuir.

Entre as paredes do lar, Deus situou a nossa primeira escola.

Se não sabemos exercer a tolerância e a bondade com cinco ou dez pessoas, que esperam pelo nosso entendimento e pelo nosso auxílio, debalde ensinaremos o caminho do bem-estar para os outros.

O primeiro degrau do paraíso chama-se Gentileza.

Aprende a ajudar para que outros te ajudem e, onde estiveres, serás sempre um valoroso operário na edificação do Reino Divino.

Apontamento
Toda bondade mais simples,
Sincera, nobre, leal,
Ajuda na construção
Do Reino Celestial.

Seja feita
a tua vontade,
assim na Terra
como no Céu.

IV

Na construção de uma casa sólida e confortável, há sempre um plano do arquiteto para ser obedecido.

Os operários precisam consultar as linhas demarcadas para não irem além de suas funções e não cometerem impropriedades que prejudicariam a obra.

O carpinteiro não deverá perturbar o pintor, e o pintor deverá respeitar o vidraceiro.

Assim também, nos serviços de elevação espiritual do homem e do mundo, é necessário procurarmos a Vontade do Senhor para que os Desígnios Divinos sejam devidamente executados.

Sabemos que o bem para todos é o projeto da Eterna Sabedoria para as criaturas e, por isso mesmo, se nos prezamos da condição de trabalhadores educados para a justa prestação de serviço, é indispensável que saibamos realizar a nossa parte na concretização do projeto divino, sem perturbar os nossos irmãos.

Estejamos convictos de que se cada um de nós cumprir a obrigação que lhe compete, no plano do eterno bem, oferecendo a cada dia o melhor que pudermos, estaremos indiscutivelmente atendendo às determinações do nosso Pai Celestial.

O Serviço da Perfeição

Um velho oleiro, muito dedicado ao trabalho, certa feita adoeceu gravemente e entrou a passar enormes dificuldades.

Os parentes, aos quais ele mais servira, moravam em regiões distantes e pareciam haver perdido a memória...

Sem ninguém que o auxiliasse, passou a viver da caridade pública, mas, quando esmolava, caiu na via pública e quebrou uma das pernas, sendo obrigado a recolher-se à cama por longo tempo.

Chorando, amargurado, fez uma prece e rogou a Deus alguma consolação para os seus males.

Então, dormiu e sonhou que um anjo lhe apareceu, trazendo a resposta pedida.

O mensageiro do Céu conduziu-o até o antigo forno em que trabalhava, e, mostrando-lhe alguns formosos vasos de sua produção, perguntou:

— Como é que você conseguiu realizar trabalhos assim tão perfeitos?

O oleiro, orgulhoso de sua obra, informou:

— Usando o fogo com muito cuidado e com muito carinho, no serviço da perfeição. Alguns vasos voltaram ao calor intenso duas ou três vezes.

— E sem fogo você realizaria a sua tarefa? — indagou, ainda, o emissário.

— Nunca! — respondeu o velho, certo do que afirmava.

— Assim também — esclareceu o anjo, bondoso —, o sofrimento e a luta são as chamas invisíveis que nosso Pai Celestial criou para o embelezamento de nossas almas que, um dia, serão vasos sublimes e perfeitos para o serviço do Céu.

Nesse instante, o doente acordou, compreendeu a vontade divina e rendeu graças a Deus.

O Pequeno Aborrecimento

Um moço de boas maneiras, incapaz de ofender os que lhe buscavam o concurso amigo, sempre meditava na Vontade de Deus, disposto a cumpri-la.

Certa vez, muito preocupado com o horário, aproximou-se de um pequeno ônibus, com a intenção de aproveitá-lo para a travessia de extenso trecho da cidade em que morava, mas, no momento exato em que o ia fazer, surgiu-lhe à frente um vizinho, que lhe prendeu a atenção para longa conversa.

O rapaz consultava o relógio, de segundo a segundo, deixando perceber a pressa que o levava a movimentar-se rápido, mas o amigo, segurando-lhe o braço, parecia desvelar-se em transmitir-lhe todas as minudências de um caso absolutamente sem importância.

Contrafeito com a insistência da conversação aborrecida e inútil, o jovem ouvia o companheiro, por espírito de gentileza, quando o veículo largou sem ele.

Daí a alguns minutos, porém, correu inquietante notícia.

A máquina estava sendo guiada por um condutor embriagado e precipitara-se num despenhadeiro, espatifando-se.

Ouvindo com paciência uma palestra incômoda, o moço fora salvo de triste desastre.

O jovem refletiu sobre a ocorrência e chegou à conclusão de que, muitas vezes, a Vontade Divina se manifesta, em nosso favor, nas pequenas contrariedades do caminho, ajudando-nos a cumprir nossos mais simples deveres, e passou a considerar, com mais respeito e atenção, as circunstâncias inesperadas que nos surgem à frente, na esfera dos nossos deveres de cada dia.

A Alegria no Dever

Quando Jesus estava entre nós, recebeu certo dia a visita do Apóstolo João, muito jovem ainda, que lhe disse estar incumbido, por seu pai Zebedeu, de fazer uma viagem a povoado próximo.

Era, porém, um dia de passeio ao monte e o moço achava-se muito triste.

O Divino Amigo, contudo, exortou-o a cumprir o dever.

Seu pai precisava do serviço e não seria justo prejudicá-lo.

João ouviu o conselho e não vacilou.

O serviço exigiu-lhe quatro dias, mas foi realizado com êxito.

Os interesses do lar foram beneficiados, mas Zebedeu, o honesto e operoso ancião, afligiu-se muito porque o rapaz regressara de semblante contrafeito.

O Mestre notou-lhe o semblante sombrio e, convidando-o a entendimento particular, observou:

— João, cumpriste o prometido?

— Sim — respondeu o Apóstolo.

— Atendeste à Vontade de Deus, auxiliando teu pai?

— Sim — tornou o jovem, visivelmente contrariado —, acredito haver efetuado todas as minhas obrigações.

Jesus, entretanto, acentuou, sorrindo calmo:

— Então, ainda falta um dever a cumprir, o dever de permaneceres alegre por haveres correspondido à confiança do Céu.

O companheiro da Boa-Nova meditou sobre a lição e fez-se contente.

A tranquilidade voltou ao coração e à fisionomia do velho Zebedeu, e João compreendeu que, no cumprimento da Vontade de Deus, não podemos e nem devemos entristecer ninguém.

Reflexões

Podemos discernir a Vontade de Deus em todas as situações:

No sofrimento, é a Paciência.

Na perturbação, é a Serenidade.

Diante da maldade, é o Bem que auxilia sempre.

Perante as sombras, é a Luz.

No trabalho, é o devotamento ao Dever.

Na amargura, é a Esperança.

No erro, é a Corrigenda.

Na queda, é o Reerguimento.

Na luta, é o Valor Moral.

Na tentação, é a Resistência.

Junto à discórdia, é a Harmonia.

À frente do ódio, é o Amor.

No ruído da maledicência, é o Silêncio.

Na ofensa, é o Perdão Completo.

Na vida comum, é a Bondade em favor de todos.

Quem ajuda sem cessar,
cada hora, todo o dia,
está cumprindo a vontade
da Eterna Sabedoria.

O pão nosso de cada dia
dá-nos hoje

V

O pão nosso de cada dia não é somente o almoço e o jantar, o café e a merenda.

É também a ideia e o sentimento, a palavra e a ação.

Para que reine a saúde com alegria, em torno de nós, precisamos de nossas refeições, mas necessitamos também de paz e esperança, de fé e valor moral.

Com os nossos modos de agir, operamos sobre os outros.

Conversando, distribuímos nossos pensamentos.

Nossos atos influenciam os que nos cercam, segundo as nossas intenções.

Por isso, também os outros nos alimentam com as suas atitudes.

Se estimamos as conversações deprimentes, se buscamos a leitura de natureza inferior, depressa nos vemos alterados e perturbados, sem disso nos apercebermos.

As nossas companhias falam claramente de nós.

Nossas leituras revelam nosso íntimo.

Procuremos, desse modo, o pão espiritual que nos garanta a harmonia interior, que conserve o nosso caráter firme sobre os alicerces do bem, que nos guarde contra a maldade e que nos ajude a ser exemplos de compreensão e fraternidade.

Em Jesus temos o pão que desceu do Céu.

E, ainda hoje, o Mestre continua alimentando o pensamento da Humanidade, por intermédio de um livro — o Evangelho Divino, em que Ele nos ensina, por meio da bondade e do amor, o caminho de nossa felicidade para sempre.

A Necessidade do Esforço

Conta-se que, no princípio da vida terrestre, o alimento das criaturas era encontrado como oferta da Divina Providência, em toda parte.

Em troca de tanta bondade, o Pai Celeste rogava aos corações mais esforço no aperfeiçoamento da vida.

O povo, no entanto, observando que tudo lhe vinha de graça, começou a menosprezar o serviço.

O mato inútil cresceu tanto, que invadia as casas, onde toda a gente se punha a comer e dormir.

Ninguém desejava aprender a ler.

A ferrugem, o lixo e o mofo apareciam em todos os lugares.

Animais, como os cães que colaboram na vigilância, e aves, como os urubus que auxiliam nas obras de limpeza, eram mais prestativos que os homens.

Vendo que ninguém queria corresponder à confiança divina, o Pai Celestial mandou retirar as facilidades existentes, determinando que os habitantes da Terra se esforçassem na conquista da própria manutenção.

Desde esse tempo, o ar e a água, o Sol e as flores, a claridade das estrelas e o luar continuaram gratuitos para o povo, mas o trabalho forçado da alimentação passou a vigorar como sendo uma lei para todos, porque, lutando para sustentar-se, o homem melhora a terra, limpa a habitação, aprende a ser sábio e garante o progresso.

Deus dá tudo.

O solo, a chuva, o calor, o vento, o adubo e a orientação constituem dádivas dele à Terra que povoamos e que devemos aprimorar, mas o preparo do pão de cada dia, por meio do nosso próprio suor e da nossa própria diligência, é obrigação comum a todos nós, a fim de que não olvidemos o nosso divino dever de servir, incessantemente, em busca da Perfeição.

O Exemplo da Árvore

Dizem que quando a primeira árvore apareceu na Terra, trazia do Pai Celestial a recomendação de alimentar o homem e auxiliá-lo, em nome do Céu, por todos os meios que lhe fossem possíveis.

Resolvida a cumprir a ordenação do Senhor, certo dia foi visitada por um ladrão, perseguido pela Justiça.

Ele sentia fome e, por isso, furtou-lhe vários frutos.

Em seguida, decepou-lhe muitos galhos, deles fazendo macia cama para descansar e refazer-se.

A árvore não se agastou com o assalto. Parecia satisfeita em ajudá-lo e até se mostrava interessada em adormecê-lo, agitando harmoniosamente as folhas, tangidas pelo vento.

Erguendo-se, fortalecido, o pobre homem ouviu o ruído dos acusadores que o buscavam e, angustiado, sem saber que rumo tomar na várzea deserta, notou que o nobre vegetal, em silêncio, como que o convidava a asilar-se em seus ramos.

Imediatamente, à maneira de um menino, o infeliz escalou o tronco e escondeu-se na copa farta.

Os guardas vieram e, desistindo de encontrá-lo em razão da busca infrutífera, retiraram-se para lugarejo distante.

Foi então que o desventurado desceu para o solo, impressionado e comovido, reparando que se achava à frente de humilde mensageira do Céu.

Roubara-lhe os frutos e mutilara-lhe as frondes; entretanto, oferecera-lhe, ainda, seguro abrigo.

O homem infeliz começou a meditar no exemplo da árvore venerável, incumbida por Deus de cooperar na distribuição do alimento de cada dia na Terra, e, nela reconhecendo verdadeira emissária do Céu, que lhe saciara a fome e lhe dispensara maternal proteção, abandonou o mal em que se havia mergulhado e passou a ser outro homem.

O Alimento Espiritual

O professor lutava na escola com um grande problema.

Os alunos começaram a ler muitas histórias de homens maus, de roubos e de crimes e passaram a viver em plena insubordinação.

Queriam imitar aventureiros e malfeitores e, em razão disso, na escola e em casa apresentavam péssimo comportamento.

Alguns pronunciavam palavrões, julgando-se bem-educados, e outros se entregavam a brinquedos de mau gosto, acreditando que assim mostravam superioridade e inteligência.

Esqueciam-se dos bons livros.

Zombavam dos bons conselhos.

O professor, em vista disso, certo dia reuniu todas as classes para a merenda costumeira, apresentando uma surpresa esquisita.

Os pratos estavam cheios de coisas impróprias, tais como pães envolvidos em lama, doces com batatas podres, pedaços de maçãs com tomates deteriorados e geleias misturadas com fel e pimenta.

Os meninos, revoltados, gritavam contra o que viam,

mas o velho educador pediu silêncio e, tomando a palavra, disse-lhes:

— Meus filhos, se não podemos dispensar o alimento puro a benefício do corpo, precisamos também de alimento sadio para a nossa alma. O pão garante a nossa energia física, mas a leitura é a fonte de nossa vida espiritual. Os maus livros, as reportagens infelizes, as difamações e as aventuras criminosas representam substâncias apodrecidas que nós absorvemos, envenenando a vida mental e prejudicando-nos a conduta. Se gostamos das refeições saborosas que auxiliam a conservação de nossa saúde, procuremos também as páginas que cooperam na defesa de nossa harmonia interior, a fim de nunca fugirmos ao correto procedimento.

Com essa preleção, a hora da merenda foi encerrada.

Os alunos retiraram-se cabisbaixos.

E, pouco a pouco, a vida dos meninos foi sendo retificada, modificando-se para melhor.

Notas

Há saúde do corpo e saúde da alma.
Ambas devem estar juntas.

Deus concede-nos recursos mil, cada dia, para
alimentar-nos o espírito com as melhores emoções.

Absorvemos os pensamentos uns dos outros.

Auxilia a produção útil da Natureza e estarás
cooperando com a Providência Divina.

Cede ao próximo o pão que sobra em tua mesa e o
Senhor te enriquecerá de bom ânimo e alegria.

Atendendo a Deus, a Terra gasta milhões de
vidas, cada dia, a fim de sustentar-nos.

Falar mal dos outros, em vez de ajudá-los, é o
mesmo que envolver nossos sentimentos em
lama invisível, em vez de fazê-los brilhar.

Os frutos que te deliciam são os resultados do esforço
daqueles que passaram no mundo, antes de ti. Prepara
a sementeira de agora para os que virão no futuro.

Planta uma árvore amiga e ajudarás aos que te ajudam.

*Quem lança a boa palavra
de amor e consolação,
espalha por toda a Terra
os dons do Divino Pão.*

*Perdoa as
nossas dívidas,
assim como perdoamos aos
nossos devedores.*

VI

Quando pronunciamos as palavras "perdoa as nossas dívidas, assim como perdoamos aos nossos devedores", não apenas estamos à espera do benefício para o nosso coração e para a nossa consciência, mas estamos igualmente assumindo o compromisso de desculpar os que nos ofendem.

Todos possuímos a tendência de observar com evasivas os grandes defeitos que existem em nós, reprovando, entretanto, sem exame, pequeninas faltas alheias.

Por isso mesmo Jesus, em nos ensinando a orar, recomendou-nos esquecer qualquer mágoa que alguém nos tenha causado.

Se não oferecermos repouso à mente do próximo, como poderemos aguardar o descanso para os nossos pensamentos?

Será justo conservar todo o pão, em nossa casa, deixando a fome aniquilar a residência do vizinho?

A paz é também alimento da alma, e, se desejamos tranquilidade para nós, não nos esqueçamos do entendimento e da harmonia que devemos aos demais.

Quando pedirmos a tolerância do Pai Celeste em nosso favor, lembremo-nos também de ajudar aos outros com a nossa tolerância.

Auxiliemos sempre.

Se o Senhor pode suportar-nos e perdoar-nos, concedendo-nos constantemente novas e abençoadas oportunidades de retificação, aprendamos, igualmente, a espalhar a compreensão e o amor, em benefício dos que nos cercam.

O Perdão Justo

Em certa cidade europeia, um homem ignorante, considerado malfeitor, foi condenado à morte na forca.

O juiz fora severo no julgamento.

Afirmava que o infeliz era grande criminoso e que só a pena última podia solucionar-lhe a situação.

Alguns dias antes do enforcamento, o magistrado veio ao cárcere, em companhia de um filho, jovem alegre e de bom coração que, aproximando-se de velho soldado, pôs-se a examinar-lhe a arma de fogo.

Sem que o rapaz pudesse refletir no perigo do objeto que revirava nas mãos, um tiro escapou, rápido, e, com espanto de todos, a bala em disparada alojou-se num dos braços do condenado à morte, que observava a cena, tranquilamente, da grade.

Banhado em sangue, foi socorrido pelo juiz e pelos circunstantes e, porque a palavra do magistrado fora dura e cruel para o filho irrefletido, o prisioneiro lembrou os ensinamentos de Jesus, ajoelhou-se aos pés do visitante ilustre e suplicou-lhe desculpas para o moço em lágrimas, afirmando que o jovem não tivera a mínima intenção de magoá-lo.

O juiz notou a profunda sinceridade da rogativa e, em silêncio, passou a reparar que o condenado era portador de nobre coração e de inexprimível bondade.

No dia imediato, promoveu medidas para a revisão do processo que lhe dizia respeito e, em pouco tempo, a pena de morte era comutada para somente alguns meses de prisão.

Perdoando ao rapaz que o ferira, o prisioneiro encontrou o perdão justo para as suas faltas, conseguindo, desse modo, recomeçar a vida, em bases mais sólidas de paz, confiança, trabalho e alegria.

O Efeito da Cólera

Um velho judeu, de alma torturada por pesados remorsos, chegou, certo dia, aos pés de Jesus e confessou-lhe estranhos pecados.

Valendo-se da autoridade que detinha no passado, havia despojado vários amigos de suas terras e bens, arremessando-os à ruína total e reduzindo-lhes as famílias a doloroso cativeiro. Com maldade premeditada, semeara em muitos corações o desespero, a aflição e a morte.

Achava-se, desse modo, enfermo, aflito e perturbado... Médicos não lhe solucionavam os problemas, cujas raízes se perdiam nos profundos labirintos da consciência dilacerada.

O Mestre Divino, porém, ali mesmo, na casa de Simão Pedro, onde se encontrava, orou pelo doente e, em seguida, lhe disse:

— Vá em paz e não peques mais.

O ancião notou que uma onda de vida nova lhe penetrara o corpo, sentiu-se curado, e saiu rendendo graças a Deus.

Parecia plenamente feliz, quando, ao atravessar a extensa fila dos sofredores que esperavam pelo Cristo, um pobre mendigo, sem querer, pisou-lhe num dos calos que trazia nos pés.

O enfermo restaurado soltou um grito terrível e atacou o mendigo a bengaladas.

Estabeleceu-se grande tumulto.

Jesus veio à rua apaziguar os ânimos.

Contemplando a vítima em sangue, abeirou-se do ofensor e falou:

— Depois de receberes o perdão, em nome de Deus, para tantas faltas, não pudeste desculpar a ligeira precipitação de um companheiro mais desventurado que tu?

O velho judeu, agora muito pálido, pôs as mãos sobre o peito e bradou para o Cristo:

— Mestre, socorre-me!... Sinto-me desfalecer de novo... Que será isto?

Mas Jesus apenas respondeu, muito triste:

— Isso, meu irmão, é o ódio e a cólera que outra vez chamaste ao próprio coração.

E, ainda hoje, isso acontece a muitos que, por falta de paciência e de amor, adquirem amargura, perturbação e enfermidade.

Mãezinha

Quando o Pai Celestial precisou colocar na Terra as primeiras criancinhas, chegou à conclusão de que devia chamar alguém que soubesse perdoar infinitamente.

De alguém que não enxergasse o mal.

Que quisesse ajudar sem exigir pagamento.

Que se dispusesse a guardar os meninos, com paciência e ternura, junto do coração.

Que tivesse bastante serenidade para repetir incessantemente as pequeninas lições de cada dia.

Que pudesse velar, noites e noites, sem reclamação.

Que cantarolasse baixinho, para adormecer os bebês que ainda não podem conversar.

Que permanecesse em casa, por amor, amparando os meninos que ainda não podem sair à rua.

Que contasse muitas histórias sobre a vida e sobre o mundo.

Que abraçasse e beijasse as crianças doentes.

Que lhes ensinasse a dar os primeiros passos, garantindo o corpo de pé.

Que os conduzisse à escola, a fim de que aprendessem a ler.

Dizem que nosso Pai do Céu permaneceu muito tempo, examinando, examinando... e, em seguida, chamou a Mulher, deu-lhe o título de Mãezinha e confiou-lhe as crianças.

Por esse motivo, nossa Mãezinha é a representante do Divino Amor no mundo, ensinando-nos a ciência do perdão e do carinho, em todos os instantes de nossa jornada na Terra. Se pudermos imitá-la, nos exemplos de bondade e sacrifício que constantemente nos oferece, por certo seremos na vida preciosos auxiliares de Deus.

O Silêncio

O silêncio ajuda sempre:

Quando ouvimos palavras infelizes.
Quando alguém está irritado.
Quando a maledicência nos procura.
Quando a ofensa nos golpeia.
Quando alguém se encoleriza.
Quando a crítica nos fere.
Quando escutamos a calúnia.
Quando a ignorância nos acusa.
Quando o orgulho nos humilha.
Quando a vaidade nos provoca.

O silêncio é a gentileza do perdão que se cala e espera o tempo.

O PERDÃO
O perdão, em qualquer tempo,
é sempre um traço de luz,
conduzindo a nossa vida
a comunhão com Jesus.

Não nos deixes
cair em tentação

VII

A Bondade Infinita de Deus não permitirá que venhamos a cair sob as tentações, mas, para isso, é necessário que nos esforcemos, colaborando, de algum modo, com o auxílio incessante de nosso Pai.

Há leis organizadas para benefício de todos, mas, se não as respeitarmos, como poderemos contar com a proteção delas em nosso favor?

Sabemos que o fogo destrói. Por isso mesmo, não devemos abusar dele.

Não podemos rogar o socorro divino para a imprudência que se repete todos os dias.

Se um homem estima a preguiça, não atrairá as bênçãos que ajudam aos cultivadores do trabalho.

Se uma pessoa vive atirando espinhos à face dos outros, como esperará sorrisos na face alheia?

É indiscutível que a Providência Divina nos ajudará constantemente, livrando-nos do mal; entretanto, espera encontrar em nós os valores da boa vontade.

Não ignoramos que o Pai Celestial está sempre conosco, mas, muitas vezes, somos nós que nos afastamos do nosso Criador.

Para que não venhamos a sucumbir sob os golpes das tentações, é indispensável que saibamos procurar o bem, cultivando-o sem cessar.

Não há colheita sem plantação.

Certamente, devemos esperar que Deus nos conceda o "muito" de seu amor, mas não olvidemos que é preciso dar "alguma coisa" do nosso esforço.

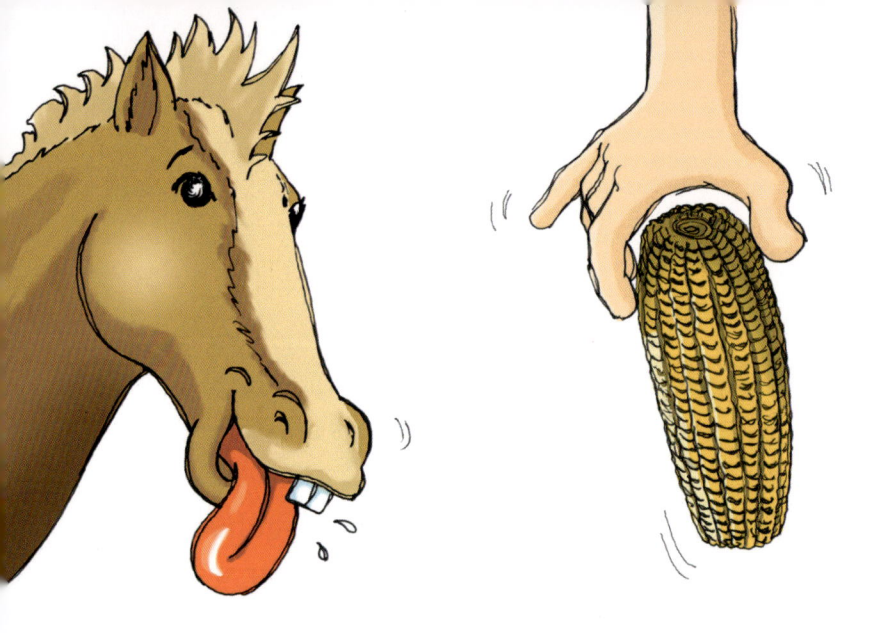

O Problema da Tentação

O educador, em aula, tentava explicar aos meninos que o móvel das tentações reside em nós mesmos; contudo, como os aprendizes mostravam muita dificuldade para compreender, ele se fez acompanhar pelos alunos até ao grande pátio do colégio.

Aí chegando, mandou trazer uma bela espiga de milho e perguntou aos rapazes:

— Qual de vocês desejaria devorar esta espiga tal como está?

Os jovens sorriram, zombeteiramente, e um deles exclamou:

— Ora vejam!... Quem se animaria a comer milho cru?

O professor, então, mandou vir à presença deles um dos cavalos que serviam à escola, instalou alguns obstáculos à frente do animal e colocou a espiga ao dispor dele, sobre pequena mesa.

O grande equino saltou, lépido, os impedimentos e avançou, guloso, para o bocado.

O professor benevolente e amigo esclareceu, então, bondosamente, ante os alunos surpreendidos:

— A tentação nos procura, segundo os sentimentos que trazemos no campo íntimo. Quando cedemos a alguma fascinação indigna, é que a nossa vontade permanece fraca diante dos nossos desejos inferiores. As forças que nos tentam correspondem aos nossos próprios impulsos. Não podemos imaginar ou querer aquilo que desconhecemos. Por esse motivo, necessitamos vigiar o cérebro e o coração, a fim de selecionarmos as sugestões que nos visitam o pensamento.

E, terminando, afirmou:

— As situações boas ou más, fora de nós, são iguais aos propósitos bons ou maus que trazemos conosco.

A Necessidade da Educação

No tempo em que não existia a locomoção fácil na Terra, um grande rei simpatizou com fogoso cavalo de cores claras, da criação de sua casa; mas, ao desejá-lo para os serviços do palácio, foi assim informado pelo chefe das cavalariças:

— Majestade, este animal é vítima de muitas tentações. Basta que se movimente, de leve, para assustar-se e ocasionar desastres. Uma simples folha seca na estrada é razão para inúmeros coices.

O rei ouviu, atencioso, e afirmou que remediaria a situação.

No dia seguinte, mandou atrelá-lo a enorme carroça de limpeza, onde o cavalo se viu tão preso que não pôde fazer outros movimentos, além dos necessários.

Depois de algumas semanas, o monarca determinou que fizesse ele o duro serviço dos burros, transportando cargas pesadíssimas.

A princípio, o animal se rebelava, escouceando o ar e relinchando fortemente; entretanto, foi tantas vezes visitado pelos gritos e pelos chicotes dos peões e tantos fardos suportou que, ao fim de algum tempo, era um modelo de mansidão e brandura, sendo colocado no serviço real, com grande contentamento para o soberano.

Assim acontece conosco, na vida.

Destinados ao trabalho da vontade de Deus, se vivemos entregues às tentações do mal, desobedientes e egoístas, determina o Senhor que sejamos confiados à luta e à provação, à dificuldade e ao sofrimento, os quais, pouco a pouco, ensinam-nos a humildade e o respeito, a diligência e a doçura.

Depois de passarmos pelos variados processos de educação, indispensável ao nosso burilamento, seremos então aproveitados, com êxito e segurança, nos serviços gerais da Bondade de Deus, junto de nossos irmãos.

A Tentação do Repouso

Num campo de lavoura, grande quantidade de vermes desejava destruir um velho arado de madeira, muito trabalhador, que lhes perturbava os planos e, em razão disso, certa ocasião se reuniram ao redor dele e começaram a dizer:

— Por que não cuidas de ti? Estás doente e cansado...

— Afinal, todos nós precisamos de algum repouso...

— Liberta-te do jugo terrível do lavrador!

— Pobre máquina! A quantos martírios te submetes!...

O arado escutou... escutou... e acabou acreditando.

Ele, que era tão corajoso, que nem sentia o mais leve incômodo nas mais duras obrigações, começou a queixar-se do frio da chuva, do calor do Sol, da aspereza das pedras e da umidade do chão.

Tanto clamou e chorou, implorando descanso, que o antigo companheiro concedeu-lhe alguns dias de folga, a um canto do milharal.

Quando os vermes o viram parado, aproximaram-se em massa, atacando-o sem compaixão.

Em poucos dias, apodreceram-no, crivando-o de manchas, de feridas e de buracos.

O arado gemia e suspirava pelo socorro do lavrador, sonhando com o regresso às tarefas alegres e iluminadas do campo...

Mas era tarde.

Quando o prestimoso amigo voltou para utilizá-lo, era simplesmente um traste inútil.

A história do arado é um aviso para nós todos.

A tentação do repouso é das mais perigosas, porque, depois da ignorância, a preguiça é a fonte escura de todos os males.

Jamais olvidemos que o trabalho é o dom divino que Deus nos confiou para a defesa de nossa alegria e para a conservação de nossa própria saúde.

A Bênção do Trabalho

É pela bênção do trabalho que podemos esquecer os pensamentos que nos perturbam, olvidar os assuntos amargos, servindo ao próximo, no enriquecimento de nós mesmos.

Com o trabalho, melhoramos nossa casa e engrandecemos o trecho de terra onde a Providência Divina nos situou.

Ocupando a mente, o coração e os braços nas tarefas do bem, exemplificamos a verdadeira fraternidade, e adquirimos o tesouro da simpatia, com o qual angariaremos o respeito e a cooperação dos outros.

Quem não sabe ser útil não corresponde à Bondade do Céu, não atende aos seus justos deveres para com a Humanidade nem retribui a dignidade da pátria amorosa que lhe serve de mãe.

O trabalho é uma instituição de Deus.

SENDA DE PERFEIÇÃO
Quem move as mãos no serviço,
foge à treva e à tentação.
Trabalho de cada dia
é senda de perfeição.

Livra-nos do mal,
porque teu é o Reino,
o poder e a glória para sempre.
Assim seja.

VIII

O Senhor livrar-nos-á do mal; entretanto, é preciso que desejemos não errar.

Que dizer de um homem que pedisse socorro contra o incêndio lançando gasolina à fogueira?

O reino da vida, com todas as suas notas de grandeza, pertence a Deus.

Todo o poder e toda a glória do Universo, todos os recursos e todas as possibilidades da existência são da Providência Divina, mas, em nosso círculo de ação, a vontade é nossa.

Se não ligamos nossos desejos à Lei do Bem, que procede do Céu, representando para nós a vontade paterna de nosso Pai Celeste, não podemos aguardar harmonia e contentamento para o nosso coração.

Nas sombras do egoísmo, estaremos sozinhos, aflitos, perturbados e desalentados, porque egoísmo quer dizer felicidade somente para nós, contra a felicidade dos outros.

Deus permitiu que a vontade fosse um patrimônio propriamente nosso, a fim de que pudéssemos adquirir a liberdade e a grandeza, o amor e a sabedoria, por nós mesmos, como filhos de sua infinita bondade.

Por isso, se somos escravos das nossas criações que, por vezes, gastamos muito tempo a retificar, continuamos sempre livres para desejar e imaginar.

E sabemos que qualquer serviço ou realização começa em nossos sentimentos e pensamentos.

Saibamos, desse modo, conservar a nossa vontade à luz da consciência reta, porque, rogando a Deus que nos liberte do mal, é preciso, por nossa vez, procurar o caminho do bem.

O Exemplo da Fonte

Um estudante da sabedoria, rogando ao seu instrutor que lhe explicasse qual a melhor maneira de livrar-se do mal, foi por ele conduzido a uma fonte que deslizava, calma e cristalina, e, seguindo-lhe o curso, observou:

— Veja o exemplo da fonte, que auxilia a todos sem perguntar, e que nunca se detém até alcançar a grande comunhão com o oceano. Junto dela crescem as plantas de toda a sorte, e em suas águas dessedentam-se animais de todos os tipos e feitios.

Enquanto caminhavam, um pequeno atirou duas pedras à corrente e as águas as engoliram em silêncio, prosseguindo para diante.

— Reparou? — disse o mentor amigo — A fonte não se insurgiu contra as pedradas. Recebeu-as com paciência e seguiu trabalhando.

Mais à frente, viram grosso canal de esgoto arremessando detritos no corpo alvo das águas, mas a corrente absorvia o lodo escuro, sem reclamações, e avançava sempre.

O professor comentou para o aprendiz:

— A fonte não se revolta contra a lama que lhe atiram à face. Recolhe-a sem gritos e transforma-a em benefícios para a terra necessitada de adubo.

Adiante ainda, notaram que, enquanto andorinhas se banhavam, lépidas, feios sapos penetravam também a corrente e pareciam felizes em alegres mergulhos.

As águas amparavam a todos sem a mínima queixa.

O bondoso mentor indicou o lindo quadro ao discípulo e terminou:

— Assinalemos o exemplo da fonte e aprenderemos a libertar-nos de qualquer cativeiro, porque, em verdade, só aqueles que marcham para diante, com o trabalho que Deus lhes confia, sem se ligarem às sugestões do mal, conseguem vencer dignamente na vida, garantindo, em favor de todos, as alegrias do bem eterno.

A História do Livro

O mundo vivia em grandes perturbações.

As criaturas andavam empenhadas em conflitos constantes, assemelhando-se aos animais ferozes, quando em luta violenta.

Os ensinamentos dos homens bons, prudentes e sábios eram rapidamente esquecidos, porque, depois da morte deles, ninguém mais lhes lembrava da palavra orientadora e conselheira.

A Ciência começava com o esforço de algumas pessoas dedicadas à inteligência; entretanto, rapidamente desaparecia porque lhe faltava continuidade. Era impraticável o prosseguimento das pesquisas louváveis sem a presença dos iniciadores.

Por isso, o povo, como que sem luz, recaía sempre nos grandes erros, dominado pela ignorância e pela miséria.

Foi então que o Senhor, compadecendo-se dos homens, enviou-lhes um tesouro de inapreciável importância, com o qual se dirigissem para o verdadeiro progresso.

Esse tesouro é o livro. Com ele, apareceu a escola; com a escola, a educação foi consolidada na Terra e, com a educação, o povo começou a livrar-se do mal, conscientemente.

Muitos homens de cérebro transviado escrevem maus livros, inclinando a alma do mundo ao desespero e à ironia, ao desânimo e à crueldade, mas as páginas dessa natureza são apressadamente esquecidas, porque o livro é realmente uma dádiva de Deus à Humanidade para que os grandes instrutores possam clarear o nosso caminho, conversando conosco, acima dos séculos e das civilizações.

É pelo livro que recebemos o ensinamento e a orientação, o reajuste mental e a renovação interior.

Dificilmente poderíamos conquistar a felicidade sem a boa leitura. O próprio Jesus, a fim de permanecer conosco, legou-nos o Evangelho de Amor, que é, sem dúvida, o Livro Divino em cujas lições podemos encontrar a libertação de todo o mal.

A Salvação Inesperada

Num país europeu, certa tarde muito chuvosa, um maquinista cheio de fé em Deus, começando a acionar a locomotiva com o trem repleto de passageiros para longa viagem, fixou o céu escuro e repetiu, com muito sentimento, a oração dominical.

O comboio percorreu léguas e léguas dentro das trevas densas, quando, alta noite, ele viu, à luz do farol aceso, alguns sinais que lhe pareceram feitos pela sombra de dois braços angustiados a lhe pedirem atenção e socorro.

Emocionado, fez o trem parar, de repente, e, seguido de muitos viajantes, correu pelos trilhos de ferro, procurando verificar se estavam ameaçados de algum perigo.

Depois de alguns passos, foram surpreendidos por gigantesca inundação que, invadindo a terra com violência, destruíra a ponte que o comboio deveria atravessar.

O trem fora salvo, milagrosamente.

Tomados de infinita alegria, o maquinista e os viajores procuraram a pessoa que lhes fornecera o aviso salvador, mas ninguém aparecia. Intrigados, continuaram na busca, quando encontraram no chão um grande morcego agonizante. O enorme voador batera as asas, à frente do farol, em forma de dois braços agitados, e caíra sob as engrenagens. O maquinista retirou-o com cuidado e carinho, mostrou-o aos passageiros assombrados e contou como orara, ardentemente, invocando a proteção de Deus, antes de partir. E, ali mesmo, ajoelhou-se, ante o morcego que acabava de morrer, exclamando em alta voz:

— Pai Nosso, que estás no Céu, santificado seja o teu nome, venha a nós o teu Reino, seja feita a tua vontade, assim na terra como no Céu; o pão nosso de cada dia dá-nos hoje, perdoa as nossas dívidas, assim como perdoamos aos nossos devedores, não nos deixes cair em tentação e livra-nos do mal, porque teu é o reino, o poder e a glória para sempre. Assim seja.

Quando acabou de orar, grande quietude reinava na paisagem.

Todos os passageiros, crentes e descrentes, estavam também ajoelhados, repetindo a prece com amoroso respeito. Alguns choravam de emoção e reconhecimento, agradecendo ao Pai Celestial que lhes salvara a vida por intermédio de um animal que infunde tanto pavor às criaturas humanas. E até a chuva parara de cair, como se o céu silencioso estivesse igualmente acompanhando a sublime oração.

Prece

Senhor, ensina-nos a oferecer-te o coração puro e o pensamento elevado na oração.

Ajuda-nos a pedir, em teu Nome, para que a força de nossos desejos não perturbe a execução de teus desígnios.

Ampara-nos, a fim de que o nosso sentimento se harmonize com a tua vontade e que possamos, cada dia, ser instrumentos vivos e operosos da paz e do amor, do aperfeiçoamento e da alegria, de acordo com a tua Lei.

Assim seja.

www.febeditora.com.br
@febeditoraoficial
@febeditora

Conselho Editorial:
Carlos Roberto Campetti
Cirne Ferreira de Araújo
Evandro Noleto Bezerra
Geraldo Campetti Sobrinho – Coord. Editorial
Jorge Godinho Barreto Nery – Presidente
Maria de Lourdes Pereira de Oliveira
Miriam Lúcia Herrera Masotti Dusi

Produção Editorial:
Elizabete de Jesus Moreira

Revisão:
Elizabete de Jesus Moreira
Paola Martins da Silva

Capa, Projeto Gráfico e Ilustrações:
Dimmer Com. Integradas

Diagramação:
Evelyn Yuri Furuta

Normalização Técnica:
Biblioteca de Obras Raras e Documentos Patrimoniais do Livro

Esta edição foi impressa pela Gráfica e Editora Qualytá Ltda., Brasília, DF, com tiragem de 3 mil exemplares, todos em formato fechado de 155x230 mm e com mancha de 115x180 mm. Os papéis utilizados foram o Couche fosco 90 g/m² para o miolo e o Cartão 250 g/m² para a capa. O texto principal foi composto em fonte Bell MT 14/17 e os títulos em Gabriola 30/36. Impresso no Brasil. *Presita en Brazilo.*